SCÉNARIO :
TRISTAN ROULOT

DESSINS :
CORENTIN MARTINAGE

COULEURS :
ESTEBAN

À mes grands-parents, Marc et Georgette Roulot, conteurs et voyageurs.
Merci aux potes, toujours là pour relancer la machine.

Tristan

Pour cet album, je vais faire un effort et faire de vrais remerciements.
Un merci à mon plus grand fan depuis le début : mon père, ainsi qu'a toute la petite famille.
Un spécial big-up à Timbaland qui m'a bien aidé à produire cet album, alors qu'il avait du boulot.
À tous pour leur aide de toute nature (Stan, Gugu, Hervé, Dav, Esteban et j'en oublie tellement…).
Merci pour la gentillesse de tous ceux qui nous invitent et nous accueillent en salons, festivals et librairies.
Spécial merci à Isabelle la meilleure des libraires ;)
Plein d'amour à celle que j'aime et qui endure mon esprit noueux chaque jour : Élodie, je t'aime.
Merci à mon Tristan que j'ai jamais pris le temps de remercier, et pourtant…
Et enfin merci à toi lecteur, fan de passage ou accro de toujours…
Merci !!!

Corentin

Et pour finir, un hommage respectueux à tous ces éminents auteurs qui nous ont donné le goût de la BD
et qu'on maltraite joyeusement dans nos pages.

Tristan et Corentin

© MC PRODUCTIONS / ROULOT / MARTINAGE
Soleil Productions
15, Boulevard de Strasbourg
83000 Toulon - France

Bureaux parisiens
25 Rue Titon - 75011 Paris - France

Conception et réalisation graphique : Studio Soleil

Dépôt légal : Septembre 2008 - ISBN : 978-2-30200-307-1
Première édition

Impression : PPO - Palaiseau - France

LÀ !!! UN GOBLIN !

ALLEZ-Y... DE TOUTE FAÇON, ÇA NE CHANGERA RIEN.

LA VIE A TELLEMENT PEU DE SENS. SURVIVRE... POURQUOI ?

LES SOUFFRANCES DU QUOTIDIEN, LA PEUR, LA HONTE...

LES ENVIES QU'ON NE RÉALISERA JAMAIS.

ET LE TEMPS QUI PASSE, QUI NOUS LAMINE...

VOUS AVEZ RAISON, TUEZ-MOI. ÉVITEZ-MOI L'AMERTUME ET LE POURRISSEMENT DU CORPS, QUI SONT NOTRE DESTIN À TOUS.

HOULÀ ! MOI, TANT QUE JE PEUX RENDRE SERVICE !

Roulot/Martineage. 07

AAAAAAAH !
RIEN DE MIEUX QUE DE
SE LEVER DE BONNE
HEURE !

... POUR ENTAMER
UNE BONNE PARTIE
DE CHASSE À LA
GRENOUILLE !

CHEF ?!
CHEF ! VENEZ
VOIR !!!

GRRR...
QU'EST-CE
QU'ON ME VEUT
ENCORE ?!

NOM
DE...!

BON SANG
MAIS C'EST
QUOI, ÇA ?!!

C'EST
LE MARAIS
MAUDIT !

NOUS N'AVONS
PAS ÉTÉ DIGNES.
LA PESTILENCE DIVINE
S'EST ABATTUE SUR
NOTRE VILLAGE.

À PRÉSENT, LES DIEUX
NOUS PUNISSENT, COMME
ILS PUNIRENT PAR DIX
FOIS LES SEIGNEURS
DU DÉSERT !

QU'EST-CE QUE
TU RACONTES ?

PUNIS
DE QUOI
D'ABORD !?

C'EST LA VÉRITÉ !
IL FAUT SACRIFIER LE
PLUS PUR D'ENTRE NOUS
POUR APAISER LEUR
COURROUX !

Ô DIEUX ! MONTREZ-
NOUS UN SIGNE, SI
VOUS ACCEPTEZ LE
SANG DE CETTE
BREBIS !!!

PARDON LES
PÉTITES ZÉCUREUILS !
SOIRÉE TRÈS DIVIZILE !!
BEUUUUUUUH...

ROULOT/MARTI/WAGE .07

Roulot/MARTINAGE.08

ROULOT/MARTINAGE.07

MON BON GÉRALD, SI VOUS SAVIEZ COMME JE SUIS CONTENTE DE RETROUVER MES AMIS !

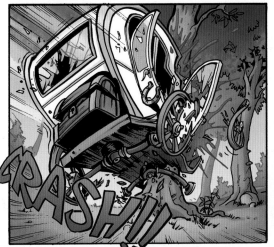

CRASH!!!

LA PRINCESSE EST À NOUS !!!

LA VACHE ! T'AS VU LE CARNAGE ?!

ON T'AVAIT DIT DE METTRE MOINS DE POUDRE !

COMMENT TU VEUX DEMANDER UNE RANÇON APRÈS ÇA ?!

D'AILLEURS, ELLE EST OÙ LA PRINCESSE !?

LÀ ! JE L'AI TROUVÉE !!

MOUÉ, ÇA VA PAS FORT !

ON POURRAIT ENVOYER JUSTE UN DOIGT...?

HÉHO ! HÉHOO !! ON RENTREUU DU...

TROP TARD ! DES NAINS ! ON SE TIRE !

QU'EST-CE QUI SE PASSE LÀ-BAS ?

BON SANG ! ILS ONT TUÉ BLANCHE-NEIGE !!!

VENGEANCE !!!

OUÉ !

...ET C'EST DEPUIS CE TEMPS-LÀ QUE LES NAINS SONT NOS ENNEMIS.

UN NAVIRE PIRATE ! LES GARS, VOUS PENSEZ À CE QUE JE PENSE ?

SES SOUTES DOIVENT ÊTRE REMPLIES D'OR !!!

L'ÉQUIPAGE DORT SÛREMENT À CETTE HEURE-CI.

ON VA LES PRENDRE PAR SURPRISE !

AH NON.

DITES... JE ME SENS COMME UNE ENVIE DE RENTRER.

BONNE IDÉE.

PAS MIEUX.

DOMMAGE, C'ÉTAIT UN BON PLAN.

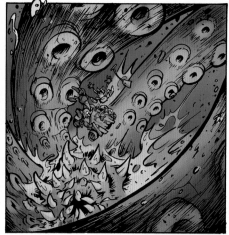

ENFIN, JE VOUS PARLE DE ÇA, C'ÉTAIT IL Y A BIEN LONGTEMPS...

DEPUIS, LES AUTRES SONT MORTS, ET JE SUIS TOUT SEUL MAINTENANT.

MMMMH... ÉCOUTE PAPI, ELLE EST SUPER TON HISTOIRE.

MAIS JE T'AI DEMANDÉ COMMENT ON SORTAIT DE CE... POULPE ?

EH BEN MOI, C'EST MON PAPI GEPETTO...

OH TA GUEULE, PINOCCHIO !

Roulot/Martinage. 07

J'AURAIS DÛ FAIRE QUELQUE CHOSE !

... J'AURAIS DÛ, TU COMPRENDS ?!!

LAISSE, C'EST TROP TARD, ILS SONT MORTS MAINTENANT.

NON ! SI J'AVAIS PIÉGÉ LA CHAMBRE DU ROI, C'EST LUI QUI SERAIT MORT ET PAS NOUS !!!

HÉ ! ATTENDS UN PEU !

MAIS OUI, BIEN SÛR ! SI JE T'ENVOYAIS DANS LE PASSÉ, TU POURRAIS TUER LE ROI AVANT QU'IL LANCE L'ATTAQUE !

ÇA Y EST, MON PROTOTYPE EST RÉGLÉ AU POIL !

AVEC ÇA, TU VAS FRANCHIR LES LIMITES DE L'ESPACE-TEMPS ET ARRIVER DANS LA CHAMBRE DU ROI LA VEILLE DE L'ATTAQUE.

À TOI DE JOUER, MON AMI !

MODIFIE NOTRE PASSÉ...

SWAP

ET TU CHANGERAS NOTRE PRÉSENT !

SWIT

MONSIEUR LE PRÉSIDENT...

NOUS NE SOMMES PLUS SEULS.

ROULOT/MARTINAGE. 07

9

JE VOUS ÉCOUTE ! ET Y'A INTÉRÊT À CE QUE JE ME SOIS PAS DÉPLACÉ POUR RIEN !!!

VOILÀ CHEF, ON S'EST RENDU COMPTE D'UN TRUC...

ON NE PEUT PAS LUTTER CONTRE LES HUMAINS, ILS SONT BEAUCOUP TROP FORTS !

MAIS ON A PENSÉ À UN PLAN !

EH OUI ! IL SUFFIRAIT QU'ON SOIT PRÉVENU SUFFISAMMENT À L'AVANCE, POUR QU'ON PUISSE S'ENFUIR DANS LA FORÊT !!!

HÉHÉ !

QUOI ? C'EST ÇA VOTRE PLAN !? APPRENEZ PLUTÔT À VOUS BATTRE BANDE DE LÂCHES ! ET JE VOUS SIGNALE QU'ON A DÉJÀ UN GUETTEUR...

D'AILLEURS QU'EST-CE TU FOUS LÀ, TOI ?!

J'Y VIENS CHEF !

COMMENT VOULEZ-VOUS PRÉVENIR DE QUOI QUE CE SOIT, PERCHÉ SUR CET ESCABEAU DE TROIS MÈTRES ?

LE PROBLÈME EST DONC LA HAUTEUR.

ET MA SOLUTION, C'EST FERTILUS, L'ENGRAIS ENRICHI AU NEUTRINIUM, QUI FAIT TOUT POUSSER PLUS VITE ET PLUS FORT !!!

ET CROYEZ-MOI, CHEF ! UNE FOIS POSTÉ SUR SON ARBRE GÉANT, NOTRE GUETTEUR SERA AUTREMENT PLUS EFFICACE !

PAC ! PAC ! PAC !

OUÉ BEN AMUSEZ-VOUS AVEC VOS RADIS, MOI J'AI UNE GUERRE À FAIRE !

WHISH

BIANG

BANDE D'IDIOTS !!!

VOUS ÉTIEZ VRAIMENT OBLIGÉS DE FAIRE POUSSER UN POMMIER ?!

ROULOT/MARTINAGE .07

ROULOT/MARTINAGE. 08

Roulot / Martinage 07.

HMMMM..."TOUJOURS SAVOIR CE QU'ON VEUT AVANT D'ENTAMER UNE NÉGOCIATION."

FACILE ! JE VEUX SON OR.

HÉ ! GOBLIN DES BOIS !

HALTE-LÀ ! MARCHAND, JE T'ATTAQUE !

ET CETTE FOIS TA DIALECTIQUE NE POURRA RIEN CONTRE MOI, CAR JE SAIS DÉSORMAIS DE QUOI QU'EST-CE QU'IL RETOURNE EN MATIÈRE COMMERCIALE !

ALORS DONNE-MOI TON OR, CAR TELLE EST MA VOLONTÉ EN VERTU DE LA PAGE 14 !

PAS MAL, PAS MAL ! MAIS MOI J'INVOQUE LA PAGE 18 : "TOUTE TRANSACTION DOIT FAIRE L'OBJET D'UN PRIX."

AHAH ! EXACT ! ET J'AJOUTE QUE SELON LA PAGE 22 : "LE PRIX DOIT ÊTRE RELATIF À LA QUALITÉ DE L'OBJET" !

TOUT À FAIT ! TU ES UN ADVERSAIRE REDOUTABLE !

BIEN...

J'AI CES TROIS PIÉCETTES EN PLOMB.

QU'AS-TU QUI VAILLE UNE TELLE SOMME ?

HUM...

EUH JE... EUH...

Y'A RIEN LÀ-DEDANS !

TU AS TES HABITS.

JE VAIS PAS TE VENDRE MES HABITS ?!

TRÈS BIEN ! ALORS PAGE 25 : "LE COCONTRAC-TANT À L'ORIGINE DE LA RUPTURE DU CONTRAT DOIT RÉPARATION AU CO-CONTRACTANT LÉSÉ" !

DE QUOI ? DE QUOI !?

TU N'AS PAS REMPLI TA PART DU CONTRAT, TU ME DOIS DE L'ARGENT.

MAIS NON ! ÇA VA TROP VITE ! J'AI MÊME PAS D'ARGENT !

ALLONS BON, ON VA BIEN TROUVER UN MOYEN DE S'ARRANGER ?

TOI, TU VAS M'EXPLIQUER ÇA !!

Roulot/MARTINAGE.07

ÇA Y EST, CHEF ! J'AI ARMÉ TOUS LES CLONES !

J'AVAIS DIT NON ! ON N'A PAS BESOIN D'EUX ! C'EST UNE EMBUSCADE !!!

ENFIN CHEF ! VOUS NE VOUS RENDEZ PAS COMPTE DU POTENTIEL ?! ILS FONT TOUT COMME NOUS !!!

IL SUFFIT QUE JE TIRE UNE FLÈCHE ET...

CHEF ! TROIS NAINS ARRIVENT !!!

TRÈS BIEN ! PERSONNE NE BOUGE ! DÉMONSTRATION !!!

LES CLONES ! AVEC MOI !!

MAINTENANT !!!!

POUIC

DIS... ILS FONT RIEN TES CLONES, LÀ ?!

BEN OUÉ. JE COMPRENDS PAS.

LES NAINS NOUS CHARGENT !!!

AH ! BRAVO L'EFFET DE SURPRISE !

GOBLINS !!! À L'ASSAUT !!!

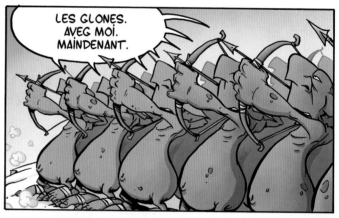

LES CLONES. AVEC MOI. MAINDENANT.

MAIS... QU'EST-CE QU'ILS FONT ?! ILS SONT MALADES !!!

RETRAITE !! RETRAITE !!!

POUIC POUIC

POUIC POUIC

... REDRAITE. REDRAITE.

CONTINUEZ À FAIRE LES MALINS ! UN JOUR, VOUS ME LE PAIEREZ !!!

Roulot/Martinage 08

95

16

À CAUSE DU ROI, L'UN DE MES FRÈRES EST MORT ET L'AUTRE EST DEVENU SON ESCLAVE !

IL FAUT QU'IL PAYE !

J'AI DONNÉ MES BRAS AU SORCIER POUR AVOIR CE POISON MORTEL ! PRENDS-LE, ET VENGE-NOUS, NINJA !

PLACE ! PLACE ! LE GÂTEAU DU ROI !

FAITES PLACE !

BOUM

... LE GÂTEAU DU ROI !!!

PLACE !

HMMM... ÇA A L'AIR TOUT À FAIT DÉLICIEUX !

BON ANNIVERSAIRE MESSIRE !

MERCI GUSTAVE.

GOÛTEUR ?!

HMMMMM, LE BEAU GÂTEAU !!!

ROULOT/MARTINAGE . 08

GNIARK ! GNIARK ! GOBLIN DES BOIS EN EMBUSCADE, DANS UN NOUVEAU DÉGUISEMENT DIABOLIQUE !

HALTE ! TOI LÀ ! JE T'ATTA...

CHAUFFARD...

ROULOT/MARTINAGE.08

REGARDE, MON FILS ! UNE ÉTOILE FILANTE !

...DÉPÊCHE-TOI DE FAIRE UN VOEU !

SACRIFICE SUR LE CHÂTEAU !

HEU... JE VOUDRAIS QU'IL N'Y AIT PLUS DE MAL EN CE MONDE, PAPA...

AH ! MON FILS !...

...C'EST UN TRÈS BEAU VOEU EN VÉRITÉ, SI DIGNE DE TON NOBLE COEUR.

...MAIS JE CRAINS QU'IL FAILLE BIEN PLUS QU'UNE ÉTOILE FILANTE, POUR RÉALISER UN TEL MIRACLE !

ROULOT/MARTINAGE.08

CROIS-MOI ! AVEC TA FORCE ET MON INTELLIGENCE, ON VA DEVENIR LES MAÎTRES DE LA ROUTE !

REGARDE ! QUELQU'UN ARRIVE DÉJÀ !

À TOI DE JOUER, NINJA !

AHAH ! PARFAIT ! ET TOI LE PETIT EN JAUNE, JE T'ATTAQUE !

...

SHPAF!

!

COMMENT OSES-TU ?! RELÈVE-TOI, VERMISSEAU ! TU N'ES PAS DIGNE DE MON ENSEIGNEMENT !

...BAH NINJA, QU'EST-CE TU FAIS ?

CEPENDANT HMMM... J'AIME TA FOUGUE, J'AIME TON STYLE. DE PLUS, TU AS TUÉ MON MEILLEUR CHIEN... TU AS UNE DETTE ENVERS MOI.

TRAVAILLE DUR, ET PEUT-ÊTRE QUE JE TE PRENDRAI À L'ESSAI.

ALLEZ ! PLUS VITE ! PLUS VITE !

OUÉ C'EST ÇA, ESPÈCE DE TRAÎTRE !!! DE TOUTE FAÇON, J'AI JAMAIS EU BESOIN DE TOI ! J'Y ARRIVE BIEN MIEUX TOUT SEUL !!!

MARCHAND, JE T'ATTAQUE !

ROULOT/MARTINAGE.08

21

HOLÀ VILLAGEOIS ! POURQUOI UNE TELLE FOULE AUJOURD'HUI ?!

C'EST LE RETOUR DE LA CHASSE AUX SORCIÈRES, VOYAGEUR !

AH ?! ... ET ELLES AURAIENT PAS UNE DRÔLE DE TÊTE VOS SORCIÈRES ?

AH NON, MAIS LÀ ON S'ENTRAÎNE.

ROULOT/MARTINAGE. 08

SORCIER ! J'AI AUCUNE CONFIANCE EN TOI.

JE PEUX AUSSI LA VENDRE AUX NAINS, VOUS SAVEZ...

BÔARF ! ON N'A RIEN À PERDRE APRÈS TOUT !

TOI ! GOÛTE-MOI ÇA !

HÉÉÉ... CHEF ! ÇA MARCHE !!!

TAÏAUT ! À LA SOUPE !!

PLACE !

DÉGAGE !

NON MOI MOI !!!

À MOI

?!

DÉJÀ 200, POUR COMMENCER ...

EXTRA !

BLÖUP

AARG !!

?!

UN FEU D'ARTIFICE EN PLEIN JOUR POUR L'ANNIVERSAIRE DE MON FILS ! MESSIRE SORCIER, VOUS ÊTES FORT !

TOUJOURS UN PLAISIR, SIRE !

... ET 800 QUI NOUS FONT 1000.

OUÉÉÉ ! ENCORE UNE ROUGE !

SPLASH PAF PAF PAF PAF PAF

ROULOT/MARTINAGE. 08

22

Bienvenue aux **GOBLINAHOLIC ANONYMES**

BONJOUR JE M'APPELLE GÉRARD ET ÇA FAIT MAINTENANT DEUX SEMAINES QUE JE N'AI PAS TUÉ DE GOBLINS.

JE VOUDRAIS D'AILLEURS REMERCIER FRÈRE SIMON QUI M'AIDE JOUR APRÈS JOUR À LUTTER CONTRE LA DÉPENDANCE.

MERCI FRÈRE SIMON !

GÉRARD, C'EST TOI QU'IL FAUT REMERCIER, TU ES UN MODÈLE POUR NOUS TOUS !

BIEN, PETIT !

CLAP CLAP CLAP CLAP CLAP CLAP CLAP CLAP CLAP CLAP CLAP

BRAVO !

... ET JE CROIS QUE TU ES PRÊT À TESTER TA VOLONTÉ EN CONDITION RÉELLE. IL Y A UN VILLAGE GOBLIN AU NORD...

BONNE CHANCE, GÉRARD. ON EST TOUS AVEC TOI !

... CONCENTRÉ GÉRARD ! TU VAS Y ARRIVER !

...

'JOUR !

?!

... MAIS J'VOUS JURE ! C'EST CE GARS-LÀ QUI...

FAUTE, GÉRARD ! FAUTE ! MAIS NE T'EXCUSE PAS, C'ÉTAIT TROP TÔT, VOILÀ TOUT.

GOBLINAHOLIC ANONYMES

ROULOT/MARTINAGE·08

23

FIN DE LA DÉMONSTRATION.

OKÉ ! ÇA MARCHE BIEN VOTRE TRUC, JE VOUS EN PRENDS DEUX !

SAGE DÉCISION, SIRE. CES CHIENS SONT DE VRAIS TUEURS FACE À CE GENRE D'AGRESSEUR.

TIENS, DISCIPLE, TU AS BIEN TRAVAILLÉ.

ET DÉPÊCHE-TOI, IL RESTE ENCORE TROIS CHÂTEAUX À FAIRE AVANT LA NUIT.

... IMAGINEZ ! UNE ARMÉE DE 30.000 POUSSINS

... DRESSÉS POUR TUER !

VOUS ME FATIGUEZ, DÉGAGEZ.

ÇA Y EST ! J'AI RÉUSSI !!!

TIENS, VOILÀ LE PLUS BEAU ! QU'EST-CE QUE T'AS RÉUSSI ?

MAIS LA POTION ! LA POTION QUI REND FORT !

OH, FORMIDABLE !!! T'AS TOUJOURS PAS COMPRIS QUE TES POTIONS NE MARCHENT JA-MAIS ?!!

ÇA, C'ÉTAIT AVANT ! LÀ, C'EST UNE NOUVELLE FORMULE, VOUS ALLEZ VOIR !...

WOUAHOU !! TOUTES MES EXCUSES, SHAMAN ! C'EST EXCELLENT !!!

C'EST VRAI ? VOUS TROUVEZ ?

MAIS NON, CRÉTIN ! TU VOIS BIEN QUE ÇA T'A RIEN FAIT !

HMMM... VOUS DOUTEZ ENCORE !

HÉ TOI ! VIENS PAR LÀ !

PRÊT POUR LA DÉMONSTRATION !?

TAC !

... DINGUE ! T'AS FAIT ÇA COMMENT ?!!

OH, IL FAUT JUSTE CONNAÎTRE LE TRUC ! UN CHAUDRON, UN PEU DE GUI ET LE TOUR EST JOU...

OUI, QUOI ?

TAP TAP

PAF!

IL M'A T... TORTURÉ AVEC DU SEL... D... DE L'ACIDE... ET QUAND IL A SORTI UN RAT... LÀ J'AI DONNÉ LA FORMULE...

ÇA VA ALLER, DRUIDE, ILS VONT PAYER POUR TOUT CE QU'ILS VOUS ONT FAIT, PAR TOUTATIS !

ROULOT/MARTINAGE.08

NON !!! FAIS PAS ÇA ! JE VIENS T'AIDER !!!

TU SAIS, FAUT PAS RIGOLER AVEC L'HYGIÈNE !

ROULOT / MARTINAGE . 08

AMOUR ! REGARDE !

LE CIEL NOUS SOURIT ENFIN ! UN BÉBÉ ! ALORS QUE NOUS NE DEVIONS JAMAIS EN AVOIR !

HMMM... LA NATURE N'A GUÈRE ÉTÉ GÉNÉREUSE AVEC TOI, ENFANT !

... MAIS C'EST ÉGAL, CAR TU ES L'ENVOYÉ DE NOTRE SEIGNEUR.

NOUS T'AIMERONS COMME NOTRE PETIT !

ET COMME JE SUIS ROI, TU SERAS PRINCE...

MON FILS ...?!!!

SWOUARF

FRÈRE SIMON, C'ÉTAIT UNE BONNE ACTION DE SOIGNER CE JEUNE GOBLIN DÉVORÉ PAR LES LOUPS.

ESPÉRONS QU'UNE ÂME CHARITABLE S'OCCUPERA DE LUI À PRÉSENT.

ROULOT / MARTINAGE . 08

ALERTE !! UN HÉROS ARRIVE !!!

ALLEZ GÉRARD ! CONCENTRÉ ! TU PEUX Y ARRIVER !

JE TE TUE !!!

DOÏNG!

CHEF ! CHEF ! IL L'A... IL L'A TOUCHÉ !!!

GRAT GRAT

?!

ATTENDEZ ! C'EST PAS POSSIBLE !! ILS NOUS ONT ENCORE ENVOYÉ UN DÉBUTANT !

ALORS C'EST ÇA ?! ON A TUÉ QUELQUES RATS DANS LA CAVE DE MÉMÉ ET ON SE SENT PRÊT POUR LES GOBLINS ?!

EH BIEN MONSIEUR, CE QUE VOUS FAITES, ÇA A UN NOM !...

MAIS NON, PAS DU T...

... C'EST DU MANQUE DE RESPECT. JE SUIS DÉSOLÉ, ON VAUT QUAND MÊME MIEUX QUE ÇA !

DONNE TON ÉPÉE TOI !!

EN TANT QU'ADVERSAIRES, NOUS AVONS DROIT À DES COMBATS DIGNES DE CE NOM !

TSHAK

UN PEU DE PANACHE, ENFIN ! IL FAUT QUE ÇA SAIGNE ! QUE ÇA GICLE !!

MAIS NON ! STOP !!!

QUE DIABLE !! IL FAUT DU FLAMBOYANT ! DE LA TRAGÉDIE !!!

ARRÊTE ! ARRÊTE !!!

MAIS ARRÊTE !!!

FAUTE GÉRARD !

PAF

JE SUIS DÉSOLÉ, MAIS C'EST LUI, IL... BOUUHOUHOUUU...

CE N'EST PAS GRAVE GÉRARD, ÇA ARRIVE À TOUT LE MONDE...

MAIS PROMETS-MOI DE TE REMETTRE AUX PATCHS !

GOBLINOHOLIC ANONYMES

Roulot/Martinage -08

27

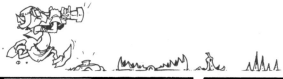

BINGO !! LE CAMPEMENT BARBARE !!

JE VAIS ESSAYER DE LIRE SUR LEURS LÈVRES !!

ALORS ?!

J'AI RIEN COMPRIS...

Roulot/Martinage.08

AMOUR ! JE T'ASSURE !!!

NOUS AVONS BIEN FAIT DE GARDER CET ENFANT !

TAC! TAC!

TAC! TAC!

TAC! TAC! TAC!

...

VRAIMENT, JE NE SAIS PAS.

TAC! TAC! TAC!...

FAIS-MOI CONFIANCE ! J'AI PRIS RENDEZ-VOUS AVEC LE CHIRURGIEN QUI A OPÉRÉ MA SŒUR ! JE SUIS SÛRE QU'IL POURRA FAIRE QUELQUE CHOSE !

PLUS TARD...

DITES-NOUS VITE, DOCTEUR ! L'OPÉRATION S'EST BIEN PASSÉE ?!

AUCUN SOUCIS, MADAME ! SAUF POUR LE NEZ BIEN SÛR ! JE N'AI RIEN PU FAIRE.

LE NEZ ?!?

TAC! TAC!

TAC!

Roulot/Martinage.08

Roulot/Martinage.07

Roulot/Martinage. 08

LA VACHE ! LES NAINS NOUS ONT ENCORE MIS UNE SACRÉE RACLÉE !!!

RAAAAH ! ILS ÉTAIENT OÙ LES RENFORTS ?!!

VOUS CROYEZ QU'ON EST MORTS, CHEF ?

MAIS NON, IDIOT ! TOI, JE SUIS SÛR QUE TU PEUX VIVRE SANS TA TÊTE !

HÉ ! MON CORPS !!! JE SUIS PUDI-QUE !

GÉNIAL ! ON A DES AILES !!!

CHEF ! ON FAIT QUOI MAINTENANT !?

C'EST BIEN ÇA LE PROBLÈME... ON RESSUSCITE À CHAQUE FOIS, MAIS ON NE SE SOUVIENT JAMAIS DE RIEN.

... SAUF QUE C'EST HORRIBLE !

FAUT PEUT-ÊTRE RENTRER DE NOUVEAU DANS NOS CORPS !

MAIS ?! JE VOLE !

LES RENFORTS ARRIVENT !

QUOI ? C'EST JUSTE ÇA ?! CET ABRUTI DE SHAMAN ET L'AUTRE CRÉTIN DES BOIS ?

VOUS CROYEZ QU'ILS SONT MORTS ?

J'EN AI PEUR, MON ENFANT.

HÉHÉ ! ILS NOUS VOIENT MÊME PAS !!

HÉ ! MON CORPS !

... MAIS ILS SONT TOUT PRÈS, ÇA NE DEVRAIT PLUS TARDER, JE LE SENS !

JE SENS RIEN MOI ?

CUI CUI ! JE VOLE COMME UN OISEAU !

DINGUE ! IL SENT RIEN !

ÇA SUFFIT, ARRÊTEZ !

J'AI TOUJOURS RÊVÉ D'ÊTRE UN FLAMANT ROSE !

UNE LUMIÈRE ! ÇA DOIT ÊTRE LE SIGNAL ! SUIVEZ-MOI !

LES GOBLINS "SUR TERRE...

LES GARS ! VOUS DEVRIEZ ESSAY...!

BAH ILS SONT PASSÉS OÙ ?

...COMME AU CIEL"

HÉ ! TOI ! RAMÈNE UN PEU TES FESSES PAR ICI !

?!

BON, JE SUIS DÉSOLÉ LES GARS, ON EST COMPLET. SI VOUS N'AVEZ PAS DE RÉSERVATION, C'EST FOUTU.

C'EST LA PLEINE SAISON MOYENÂGEUSE EN BAS, ÇA TOMBE COMME DES MOUCHES !

VOUS RIGOLEZ ! ON N'EST QUE QUATRE ! VOUS POUVEZ BIEN FAIRE UN EFFORT !

C'EST QUOI DY DI ?

MOUÉ... À LA RIGUEUR, JE PEUX VOUS METTRE SUR LISTE D'ATTENTE.

DEUX... TROIS SIÈCLES, PEUT-ÊTRE PLUS.

ÇA VA ÊTRE LONG ?

MAIS QU'EST-CE QU'ON VA FAIRE PENDANT CE TEMPS ?!

AH ÇA, VA FALLOIR AIMER GAMBADER DANS LES NUAGES ET PISSER SUR LES MOINEAUX. MAINTENANT, SI VOUS VOULEZ BIEN, J'AI DU TRAVAIL ! ALLEZ OUSTE !

OUÉ, C'EST ÇA ! VENEZ LES GARS, ON N'A PLUS RIEN À FAIRE ICI !

HÉ ! CHEF ! VOUS DEVRIEZ VENIR, C'EST GÉNIAL !

COMMENT T'ES ENTRÉ, TOI ?!

LADY DI... NON, PERSONNE À CE NOM-LÀ...

J'AI UN GRIBOUILLI, MAIS VOUS VOUS APPELEZ PAS GRIBOUILLI !?

...FACILE ! IL SUFFIT DE FAIRE LE TOUR !

HÉ ! VOUS LÀ-BAS ! REVENEZ !!!

ALERTE !! ALERTE !!

ROGER ! PAPA TANGO ZOULOU !

FORMATION EN TRIANGLE !

LANCEZ L'INTERCEPTION !

TUEZ-LES TOUS !!!

STOP!!

41

QU'EST-CE QUE VOUS LUI AVEZ FAIT !? POURQUOI IL HURLAIT COMME ÇA ?!!

'FAUT AVOUER, VOTRE CYCLE DE RÉSURRECTION, C'EST PAS DE LA RIGOLADE.

PRENEZ LES BOUDDHISTES : UNE FOIS ILS REVIENNENT EN CAILLOU, UNE AUTRE FOIS EN POT DE FLEURS OU EN PETIT CHIEN, C'EST MIGNON...

TANDIS QUE VOUS LES GOBLINS, VOUS DEVEZ PASSER PAR LES SEPT PORTES DU BONHEUR AVANT DE VOUS RÉINCARNER.

SEPT BONHEURS ! MAIS C'EST EXTRA !

OUÉ, SAUF QUE C'EST PUTÔT LE BONHEUR DES AUTRES.

LES GARS QUI VOUS ONT MIJOTÉ ÇA, ILS ONT BIEN DÛ SE MARRER, MOI JE VOUS LE DIS !

C'EST PAS UNE RAISON !!! VOUS AURIEZ PU NOUS FAIRE PASSER AVEC LUI !!!

DÉSOLÉ, JE FAIS PAS DE DIFFÉRENCE ! ET PUIS TOUT LE MONDE EST LE COPAIN DE TOUT LE MONDE, ON S'EN SORT PLUS. CROYEZ-MOI, L'AFFECTIF DANS LE BOULOT, C'EST JAMAIS BON !

AAAAH!!

PAH!

OUTCH!

HAHA ! FOUTEZ-MOI CE PASSEUR LÀ-DEDANS, ON VA L'ENVOYER DANS UN AUTRE MONDE !

OUÉ ! ET APRÈS, ON RENTRE CHEZ NOUS !

SÛREMENT PAS, IMBÉCILE !!

C'EST FINI DE SE FAIRE TRUCIDER À LONGUEUR D'AVENTURES !!!

GRÂCE À CES CLEFS, ON VA POUVOIR SE RÉINCARNER DANS UN ENDROIT OÙ ON SERA ENFIN DE VRAIS HÉROS !

SUIVEZ-MOI !

CLIC

CHEF ! ON A DES PISTOLETS ! C'EST GÉNIAL !

... JE SENS QU'ON VA AVOIR LA BELLE VIE, ICI !

ZAP

PAW

QU'EST CE QUI S'EST PASSÉ ?! ON EST REVENUS ICI ?

MA TÊTE... IL ÉTAIT NUL CE MONDE.

RAAAH ! VOUS ME PORTEZ LA POISSE ! MAINTENANT VOUS RESTEZ LÀ ET C'EST CHACUN SON TOUR, COMPRIS ?!

AÏEUU ! JE SUIS TOUT GRIFFÉ... ! PERSONNE N'A TROUVÉ UN MONDE SYMPA ?!

C'EST PAS POSSIBLE !!! IL Y A FORCÉMENT UNE CLÉ QUI FONCTIONNE !!!

MONSIEUR, VOUS DEVRIEZ ARRÊTER DE JOUER AVEC LES CLÉS, SINON VOUS ALLEZ TOUT DÉRÉGLER.

... DONNEZ-MOI JUSTE LA MIENNE, JE DOIS RENTRER CHEZ MOI.

MINUTE ! IL EST BIEN TON MONDE ?

VENEZ AVEC MOI, SI VOUS VOULEZ.

ILS ONT TUÉ KENNY ET SES FRÈRES ! ENFOIRÉS !

MERDE. PUTAIN.

AAAAAAH!! MAIS C'EST LE PIRE DE TOUS ! ON PEUT PAS VIVRE DANS UN TRUC PAREIL !

HÉLAS... IL LE FAUT, MONSIEUR.

... VOUS ET MOI AVONS UN RÔLE À JOUER. NOUS SOMMES LES VICTIMES, LES MARTYRS, LES BOUCS ÉMISSAIRES, NOUS SOUFFRONS POUR SOULAGER LES VIVANTS DE LEUR PEUR DE LA MORT.

C'EST INJUSTE, C'EST VRAI, ET NOUS N'AVONS RIEN DEMANDÉ.

MAIS RENDRE HEUREUX LES GENS, N'EST-CE PAS LE PLUS BEAU DES DESTINS ?

RENTREZ DANS VOTRE VILLAGE...

VOTRE MONDE A BESOIN DE VOUS, CROYEZ-MOI !

QUANT À MOI, J'Y RETOURNE. BON COURAGE !

LE PETIT ESQUIMAU A RAISON ! ON EST LÀ POUR APPORTER DE LA JOIE DANS LES CŒURS ! C'EST NOTRE MISSION ! ET C'EST UNE BELLE MISSION !!!

AVEC MOI MES P'TIS GARS ! ON RETOURNE AU VILLAGE !!!

 BON TOUT LE MONDE EST LÀ ?

ALORS EN ROUTE !

 CHEF, JE VIENS DE PENSER À UN NOUVEAU PLAN !

ON POURRAIT FAIRE UNE SORTE DE GROSSE TAPETTE À NAINS !

ET ON METTRAIT L'UN DE NOUS EN APPÂT, VOUS VOYEZ L'IDÉE ?

C'EST NON.

FUYEZ !!!

 CHEF ?! VOUS AVEZ RÉUSSI À RENTRER !

MAIS QU'EST-CE QUE VOUS AVEZ FABRIQUÉ LÀ-BAS !?

TOUT LE VILLAGE EST ENVAHI !!!

FUYEZ TANT QUE VOUS LE POUVEZ !!!

ENVAHI ?! MAIS PAR QUI ?!

HEU... CHEF ?

OW! OW!! OW!

GREEN GOBLIN, TU ES À MOI !

...LÀ ON A UN VRAI PROBLÈME.

ÉPILOGUE...

DITES, VU CE QU'ON PAIE, VOUS POURRIEZ POUSSER LA CHANSONNETTE UN PEU !

UN JOUR, CES GOBLINS ME LE PAIERONT !!!

Ô SOLE MIO !...

MAIS PUISQUE JE VOUS SCHTROUMPFE QUE JE NE SUIS PAS UN GOBLIN !

FIN.

Roulot/MARTIN.GE. 08